Is aistriúchán é seo ar *Eye on the Wild: Gorilla*
a d'fhoilsigh Frances Lincoln Children's Books.

Téacs agus grianghraif © Suzi Eszterhas 2012

An leagan Gaeilge
© Foras na Gaeilge 2012

ISBN 978-1-85791-084-1

Le fáil ar an bpost uathu seo:

An Siopa Leabhar,   *nó*   An Ceathrú Póilí,
6 Sráid Fhearchair,   Cultúrlann Mac Adam-Ó Fiaich,
Baile Átha Cliath 2.   216 Bóthar na bhFál,
ansiopaleabhar@eircom.net   Béal Feirste BT12 6AH.
                                                       leabhair@an4poili.com

Orduithe ó leabhardhíoltóirí chucu seo:
Áis,
31 Sráid na bhFíníní,
Baile Átha Cliath 2.
eolas@forasnagaeilge.ie

Téarmaí: www.focal.ie

An Gúm, 24-27 Sráid Fhreidric Thuaidh, Baile Átha Cliath 1.

AN GORAILLE

Suzi Eszterhas

 An Gúm

Baile Átha Cliath

I bhfad ar shiúl uainn, i lár shléibhte ceomhara na hAfraice, tá goraille beag tar éis teacht ar an saol. Goraille beag baineann atá ann. Is gá aire a thabhairt di ar an gcaoi chéanna is a thugtar aire do leanbh. Bíonn a mamaí in aice léi i gcónaí, ag breith barróg uirthi, chun í a choinneáil te agus sábháilte.

Bíonn scata mór gaolta ag an ngoraille beag; mamaí agus daidí, deartháireacha agus deirfiúracha, uncailí, aintíní, agus col ceathracha ina measc. In amanna bíonn suas le 30 goraille ina gcónaí le chéile mar theaghlach mór amháin.

Féach ar athair an ghoraille bhig agus an fionnadh geal ar a dhroim aige. Léiríonn an fionnadh geal gurb é ceannaire an teaghlaigh é. Bíonn cúraimí móra ar an athair agus tugann sé aire agus treoir don teaghlach ar fad.

Bíonn grá mór ag an mamaí dá babaí. Coinníonn sí greim láidir uirthi an t-am ar fad agus bíonn sí de shíor á pógadh agus ag breith barróg uirthi. Tugann an mhamaí aire don bhabaí ar feadh sé bliana agus san am sin taispeánann sí di conas maireachtáil sa dufair.

Is i lámha a máthar a chaitheann an goraille beag an chéad cúpla mí dá saol. Bíonn greim daingean aici ar fhionnadh fada a máthar ionas nach dtitfidh sí. Bíonn fonn codlata ar an ngoraille beag agus bíonn sí te teolaí ar ucht a máthar.

Nuair a bhaineann an goraille aois trí mhí amach, is féidir léi suí in airde, a bheith ag lámhacán agus miongháire a dhéanamh, dála páiste daonna. Bíonn sí ag diúl ar a hordóg dála páiste chomh maith!

Bíonn an goraille beag ocrach beo ar bhainne a máthar. Ólann sí go minic gach lá ar feadh trí bliana. Cabhróidh an bainne seo léi agus í ag fás aníos, sa chaoi go n-éireoidh sí mór agus láidir.

Foghlaimíonn an babaí beag trí aithris a dhéanamh ar
a mamaí. Bíonn radharc den scoth aici agus í ina suí ar
chloigeann a mamaí agus bíonn spraoi ann chomh maith.
Idir an dá linn, taispeánann a mamaí di cé acu plandaí atá
blasta agus cé acu nach bhfuil blas deas orthu.

Agus an goraille beag bliain d'aois éiríonn sí fiosrach faoin áit timpeall uirthi, is é sin, an dufair. Bíonn sí níos sábháilte ar a cosa faoin am sin agus baineann sí sult as a bheith ag dreapadh bambúnna agus fíniúnacha. Ligeann a mamaí di dul ag fiosrú agus a bheith ag súgradh ach ní bhíonn sí i bhfad uaithi. Coinníonn sí súil ghéar uirthi, ar eagla go mbeadh uirthi teacht i gcabhair uirthi gan choinne.

Thar aon ní eile is breá leis an ngoraille beag a bheith ag marcaíocht ar dhroim a máthar. Ní bhíonn bugaí ag mamaí dar ndóigh, mar sin, nuair a éiríonn an babaí róthrom le hiompar ina lámha, tugann sí síob di ar a droim. Bíonn sí sábháilte agus bíonn an mháthair in ann bogadh go furasta tríd an dufair chomh maith.

Bíonn na goraillí ag cíoradh
fionnadh a chéile go rialta, agus
is maith leis an mamaí an goraille
beag a choimeád an-ghlan.
Piocann sí feithidí agus salachar
as fionnadh an bhabaí lena méara.
Lá éigin amach anseo tuigfidh
an goraille beag conas í féin agus
goraillí eile a chíoradh.

Nuair a bhíonn trí bliana d'aois bainte amach ag an ngoraille beag, bíonn sí lán d'fhuinneamh agus baineann sí sult as a bheith ag iomrascáil lena deartháireacha, deirfiúracha agus lena col ceathracha. Sin é mar a chuireann sí aithne ar na baill eile den teaghlach mór. Bíonn cuma dhainséarach ar an troid in amanna ach ní bhíonn ann ach spraoi.

Ag aois a ceathair, bíonn a fhios ag an ngoraille óg cad iad na plandaí is deise le hithe agus conas tabhairt fúthu. Itheann sí fréamhacha, péacáin, torthaí, smaileog, fíniúnacha, coirt crann agus neantóga fiú.

Bíonn goraillí ag labhairt le chéile an t-am ar fad. Déanann siad go leor fuaimeanna aisteacha agus cuireann siad gothaí iontacha orthu féin chomh maith. Gnúsacht, brúchtach, screadach, tafann agus béiceadh, sin iad na modhanna cainte a bhíonn ag an ngoraille.

Is goraille fásta í agus í sé bliana d'aois. Faoin am seo bíonn na scileanna foghlamtha aici le bheith ina máthair mhaith, mar gur thug sí aird ar a máthair féin agus ar na máithreacha eile sa teaghlach. Tá sí réidh anois le goraille beag dá cuid féin a bheith aici!

Breis eolais ar Ghoraillí

- Ní bhíonn ach dhá chileagram (nó thart ar cheithre phunt) meáchain sna goraillí beaga nuair a thagann siad ar an saol. Bíonn suas le 225 cileagram (nó 500 punt) meáchain i ngoraille fásta (os cionn 100 uair níos troime ná mar a bhí siad agus iad ag teacht ar an saol).

- Bíonn goraillí ag ithe ó mhaidin go hoíche. Itheann siad os cionn 100 cineál planda éagsúil, agus bíonn bolg ollmhór orthu áit a dtéann suas le 18 cileagraim (nó 40 punt) de bhia in aghaidh an lae!

- Úsáideann goraillí a lámha mar chosa agus iad ag siúl. 'Siúl na n-alt' a ghlaoitear ar sin.

- Is féidir le goraillí cuid mhór fuaimeanna éagsúla a dhéanamh. Bíonn siad ag brúchtadh nuair atá siad sona, agus bíonn siad ag casachtach, ag screadach nó ag bualadh a gcliabhraigh nuair a bhíonn imní orthu.

- Bíonn dhá oiread meáchain sna goraillí fireanna, a bhfuil fionnadh geal ar a ndroim, ná mar a bhíonn sna goraillí baineanna. Bíonn siad níos mó ná na himreoirí rugbaí is mó fiú!

- Briseann goraillí géaga crann agus duilleoga le neadacha a dhéanamh i mbarr na gcrann, áit a dtéann siad a luí. Ní fhanann siad sa nead chéanna ar feadh níos mó ná oíche amháin, agus mar sin déanann siad nead nua gach oíche!

- Maireann goraillí i bhforaoiseacha trópaiceacha agus fothrópaiceacha na hAfraice, thart ar an meánchiorcal. Tá siad i mbaol toisc go mbíonn daoine ag scriosadh na ndufairí ina mbíonn siad ina gcónaí.

- Tá tuilleadh eolais ar fáil ar www.gorillafund.org.

Foclóirín

ag breith barróg uirthi, *hugging her*
fionnadh, *fur*
de shíor, *constantly*
an dufair, *the jungle*
fonn codlata, *sleepy*
te teolaí, *warm and cosy*
ag lamhacán, *crawling*
miongháire, *smile*
dála páiste daonna, *like a human child*
aithris, *copying*
fiosrach, *inquisitive*
fíniúnacha, *vines*
teacht i gcabhair uirthi, *to rescue her*
gan choinne, *unexpectedly*
thar aon ní eile, *more than anything else*
síob, *a ride*
bogadh, *move*
cíoradh, *groom*
feithidí, *insects*
salachar, *dirt*
lán d'fhuinneamh, *full of energy*
iomrascáil, *wrestling*
in amanna, *sometimes*
fréamhacha, *roots*
péacáin, *shoots*
smaileog, *wild celery*
coirt crann, *tree bark*
neantóga, *nettles*
gothaí, *gestures*
gnúsacht, *grunting*
brúchtach, *belching*
screadach, *screaming*
tafann, *barking*
béiceadh, *shouting*
modhanna cainte, *way of communication*
dhá chileagram meáchain, *two kilograms in weight*
siúl na n-alt, *knuckle walking*
ag bualadh a gcliabhraigh, *beating their chest*
foraoiseacha trópaiceaca agus fothrópaiceacha, *tropical and subtropical forests*
an meánchiorcal, *the equator*